이파리

지니달래

이파리

Dg 앞산 일지

순서

안지랑골

들 어 가 는   말

여행 관련 프로그램 보는 것을 좋아한다. 화면으로 보아
도 감탄이 절로 나오는 광활한 풍경, 높은 봉우리, 울창한
숲, 세차게 떨어지는 폭포나 옥빛 해변의 파도, 혹은 까만
하늘에 흩뿌려 놓은 별빛을 만나면 나도 저런 곳에 한번 가
보았으면 좋겠다 싶은 아쉬움이 생긴다.

그런데 나는 학창 시절 수학여행, 결혼예식 후 신혼여행,
그리고 몇 차례 국내 가족 여행을 다녀온 경험 외에는 여행
경험이 없다. 마음 맞는 친구들과 흔하게 떠날 수 있는 중
국, 일본 여행이나 동남아 여행을 다녀와 본 적이 없다. 생
경한 경험으로 생각과 마음의 평수를 넓혀보고 싶다는 소망
은 늘 염두에 두고 있지만 그래도 나는 내 하루하루의 희로
애락의 해법을 전해주는 동네에 있는 산을 찾아가는 것을
아직은 더 좋아한다.

아버지를 따라다니던 산, 친구들과 어울려 놀던 터가 있는 이 산을 오래도록 잊고 지내다가 다시 찾은 지 이제 삼 년이 되었다. 지난 삼 년 동안 호기심이 발동하여 이 골짜기 저 골짜기 두루 다녀 보았다. 이 골짜기로 올라가서 저 골짜기로 내려오는 길은 어떨까? 저 골짜기로 올라가서 이 골짜기로 내려오는 길은 또 어떨까? 문득 들여다본 등산화 고무바닥에 조그마한 구멍이 나 있다. 그곳에 돌갱이가 박혀 있는 것을 보고 실소한다. 내가 이만큼 걸어 다녔구나!

피접 한 겨울나무 사이가 몇 날 며칠 어수선하다 싶던 어느 날에 뾰로롱 연한 순이 돋아 있는 것을 보고 나도 모르게 입이 환하게 벌어지고 동공이 확장되었던 겨울이 물러가는 즈음, 여기저기 경쟁하듯 빨강, 노랑, 분홍, 하양 꽃들이 피던 그때, 봄꽃이 떨어진 자리 초록이 자라면 계곡에 물을 쏟아붓던 장마, 무더위를 피해 산자락을 헤매던 여름, 소란스러운 소리에 다람쥐들이 식겁하는 가을, 그리고 또 겨울…꼬리에 꼬리를 무는 계절을 보내고 생각해 본다.

해발 천에도 한참이나 못 미치는 작은 산, 깎아 지른 듯 솟아 경탄을 자아낼 그 무엇도 없는 민둥민둥 심심한 산, 꺼내어 자신 있게 말할 수 없다. 그래도 나는 좋다. 언제라도 소리 없이 나를 받아주었고 어디서라도 거리낌 없이 교감을 나눌 수 있었다. 만날수록 정이 들고 할 말이 많아진다.

이 산 구석구석에 숨어 있는 이야기들은 나의 남은 생을 다하고도 다 찾아내지는 못하겠지만 (다 찾아낸다는 것은 불가능한 일이다. 무한한 변수(시간대별 변수가 흥미롭다.)가 생길 테니까) 그날그날의 입맛대로 내가 접근했던 갈림길과 길에서 만났던 나뭇잎들, 그리고 나뭇잎을 닮은 단상들을 모아본다. 몸을 낮추고 귀를 기울여 자세히 살펴보아 알게 된 것들을 차곡 모아 붙여 내 안에 가지, 둥치, 뿌리를 살릴 수 있다면 나무 그늘에 앉아 쉬어 가는 이들이 있어 시원한 바람을 맞을 수 있지 않을까?

고산골

사 월 15일,
여 름 가 을 그 리 고 겨 울

숨을 깊이 들이마시고 내쉬면서 고개를 오른쪽으로 돌리고 있는데 맨발에 작고 보드라운 털의 촉감이 느껴진다. 토끼!

지난 여름과 가을 그리고 겨울을 거치면서 우리 가족 저녁 산책의 동기 부여가 되어 주었던 토끼다. 대학 졸업 후 바로 상경하여 맨바닥에 내동댕이 치이듯 서울살이를 시작했던 딸이 몸도 마음도 너덜해진 체로 사 여년을 끝내고 집으로 돌아왔던 때가 지난해 오월이었다.

다 큰 딸 밥 해준다고 꼼짝 못 하고 집에 있노라고 말하면 모두가 이해되지 않는다는 듯 한마디씩 했다. 그래도 나는 최선을 다하고 싶었다. 뜨신 밥 해 먹이고 최대한 밀착하여 지냈다. 딸은 나를 좋아한다. 엄마는 귀엽게 생겼다고 놀리며 웃음 짓게 한다.

저녁 식사 후 소화도 시킬 겸 시작했던 앞산 강당골 맨발 산책길! 승용차로 십여 분을 달리고 차를 내려 이십여 분을 걸으면 고산골 관리 사무소 앞, 솔나무 숲에 토끼 서너 마리가 있다.

아무런 통제도 받지 않고 뛰거나 오물거리며 풀을 먹거나 그루밍을하거나 배를 드러내고 네다리를 제각기 펴고 누워 있기도 한다. 어느 날 귀를 쫑긋 세우고 발을 구르며 벌떡 토끼가 일어서길래 무슨 상황인가 싶었더니 어두운 그늘막에 고양이 한 마리 토끼를 노리고 있었다. 또 어떤 날은 먹이로 준비해 간 당근을 맛나게 먹다가 비식한 소리에 삐쳐 발을 구르며 뒤 돌아섰다. 헛웃음짓게 하는 세상 귀여운 모습이다. 후에 검색해 보니 토끼가 잘 삐친다고 한다. 이 녀석들이 아카시아 잎을 무척 좋아한다는 사실을 알게 된 이후로 뻔질나게 이파리를 뜯어버려 산입 새 특정 아카시아 나무는 앙상해진 몰골이 되어 버렸다. 아카시아 잎을 흔들며 다가가면 토끼는 코를 킁킁거리며 다가와 잽싸게 잎을 낚아채어 당긴다. 앞니로 당겨가는 감각이 기분 좋다. 오물오물 어찌나 맛나게 먹고 다 먹으면 더 달라고 뒷발로 서서 앞발을 내민다. 웃지 않을 수 없는 모습이다. 어머님, 아버님도 그러하셨겠지? 손자, 손녀 키우시면서 아이들이 오물오물 먹고 무럭무럭 커가는 모습 보셨을 때 그 기쁨이 어떠하셨을까?

아이들은 대개 엄마의 바람대로 커 간다. 영재로 키우고 싶은 엄마, 예술인으로 키우고 싶은 엄마, 혹은 체육인으로. 나는 사랑 많이 받고 자라서 사랑을 나눠주는 아이로 자라 길 바랐고 그래서 이 세상 누구보다도 내 아이들을 사랑해 줄 수 있는 분들과 함께 살았다. 내 바람대로 자라주었는지 는 모르겠지만 어쨌거나 남의 이야기를 궁금해하고 잘 들어 주는 어른으로 성장한 것 같다.

더 큰 도약을 위해 잠시 후퇴하여 엄마, 아빠와 여름과 가을, 겨울을 보내며 충전을 완료한 딸아이는 봄이 되자 다 시 떠났다.

딸! 방전되면 하시라도 돌아와!

사 월 29일,
엄 마 윷 놀 이 하 던 곳 에 가 보 다

4월 봄날이다. 그런데 기온이 30도를 웃돌았다가 갑자기 곤두박질치기도 한다. 한여름 복장으로 외출했다가 돌아오는 길에는 집에 전화하여 외투를 가지고 배웅 나와달라고 해야 할 정도로 기온이 떨어진다. 그리고 오늘은 비가 내린다. 땅이 적당히 젖어 맨발 걷기를 하면 좋을 것 같은 날씨다.

강당골 공영 주차장 앞에서 버스를 내렸다. 양말이 비에 젖는 것이 싫어서 신었던 장화를 버스를 내리자마자 벗고 맨발을 땅에 대어 보았다. 흐린 날 아침이라 약간 서늘하게 느껴졌다. 몸이 충분히 따뜻하지 않은데 맨발로 걸으면 감기에 걸릴지도 모르는데 싶은 생각이 들었지만, 그냥 걸었다. 발에 와 닿는 촉촉한 감각에 기분이 좋아졌다. 산은 초록 전쟁이라도 벌이는 듯 시선이 닿는 곳마다 푸릇하다.

산어귀에 실제 공룡 크기의 모형 공룡이 서너 마리 있다. 그래서 평일 아침이면 어린이집 차를 이용하여 견학 오는 유치원생들이 많다. 공룡을 구경하기도 하고 모래밭에서 놀이를 하기도 한다. 야생 토끼는 아닌데 집토끼도 아닌 토끼 서너 마리가 뛰어다니고 있어서 아이들의 사랑을 듬뿍 받는다. 아이들이 신기한 듯 걸음을 멈추고 쳐다보고 있노라면 아이들을 인솔하고 오신 선생님께서 토끼가 놀라지 않도록 주의를 주신다. 집에서는 금이야 옥이야 대접받는 아이들이지만 선생님 말씀을 따라 토끼가 놀랄 새라 동그란 눈을 뜨고 숨을 죽인다. 작고 귀여운 고것들이 뛰어다니고 오물오물 풀을 뜯어먹는 모습이 그네들에게 그렇게 신기한 구경거리인가 보다.

오늘 산행에는 두 가지 목표가 있다. 하나는 맨발 걷기를 하는 것이고 다른 하나는 그곳에 가보고 싶은 마음이다. 엄마가 윷놀이하던 곳! 엄마는 이 세상을 떠나 다른 나라로 가버렸지만 나는 아직도 엄마가 이 세상에 계시지 않는다는 것이 믿어지지 않는다. 그래서 엄마가 한동안 소일했던 그곳에라도 가보고 싶어졌다.

갇힌 공간에서 전 국민 오락을 하는 것보다는 열린 공간에서 윷을 던지는 것을 훨씬 더 좋아하셨던 나의 엄마! 윷을 던져서 '도'가 나오든, '모'가 나오든, '개'가 나오기를 간절히 바라고 있는데 '걸'이 나오든, 좋으면 좋은 대로 기분이 좋고 그렇지 않아도 수긍하고 마는 윷놀이를 더 좋아했던 엄마는 곰곰 생각해 보면 자연을 많이 닮아 있었던 것 같다.

남에게 싫은 소리 안 하고, 이웃과 어울리기 좋아했고, 산을 오르기를 좋아했다. 노년에 접어들어 산행이 힘들어지셨을 즈음에 여기에 와서 삼삼오오 모인 사람들과 한나절을 보내셨다. '아이쿠 임신이다!' 하며 크게 웃으시고 '뒤또다!' 하며 또 웃으셨을 것이다. 혹은 상대 팀의, 몇 겹을 얹어 놓은 말이 퐁당 빠져 버리면 훨씬 더 크게 웃으시면서 산바람 맞으셨을 것 같다. 하지만 해가 지고 맞아 주는 이 없는 빈집 문을 열고 들어섰을 때 밀려드는 외로움을 어떻게 감당하셨을까 마는 한 번도 내색 않으시고 투정도 않으시고 꿋꿋하게 최선을 다하신 엄마를 이제서야 깨닫는다. 사람은 얼마나 어리석은 동물인지 보내고 나서야 깨닫게 된다.

비에 젖은 청 단풍 가지 축 늘어져 이불 마냥 걸려 있는
데 사람은 없고 빈터만 남아있다.

칠 월 4일,

고 개 젖 혀 해 바 라 기 와 인 사 나 누 다

해바라기! 불현듯 그 해바라기를 보러 가고 싶었다. 신천 변에 자리한 법왕사! 그 너른 마당에 깜짝 놀랄 정도로 키가 크고 그만큼 둥치도 굵은 해바라기를 달포 전에 봤었다. 지금쯤 장관을 이루었겠다 싶은 생각에 들뜬 마음으로 집을 나섰다. 언제나 그러했듯이 정류장에서 또 이변이 생겼다. 절에 가서 해바라기 꽃을 먼저 보고 앞산 옆구리를 가로질러 올라가려고 계획을 잡았었는데 고산골로 가는 버스가 먼저 오길래 주저 않고 탔다. 이것 아니면 안 돼! 라는 고집을 접은 지 오래지만 너무 빠른 포기에 나 자신도 깜짝 놀랐다. 버스 간에서 가만히 생각해 보니 이 시각에 이보다 더 멋진 코스는 없을 것 같았고 과연 그러하였다. 빠른 포기가 아니라 현명한 판단력이었구나!

대덕 맨션 건너에 맨발 산책로가 있다. 구청에서 공을 들여 길을 편편하게 닦고 모래도 깔아 둔 곳이다. 신발과 양말을 벗고 보들한 모래가 기분 좋게 발바닥을 간지럽히는 그 길을 따라 20여 분을 걷고 나서 깨끗하게 발을 씻고 마루에 앉았다. 휴일. 오후 세 시가 넘어선 시각에 우리 동네에서는 눈을 씻고 찾아봐야 겨우 한두 명 보일 아장아장 걷는 아이들이 젊은 엄마, 아빠와 손을 잡고 나와 공룡 구경도 하고 가볍게 산책하는 중이다. 내 아이들이 조그마하였을 때 번질 나게도 공원 산책하러 갔었다. 이제나저제나 언제나 다 키우나 싶던 아이들이 이제는 엄마, 아빠의 행복을 소망하며 의젓한 버팀목이 되어가고 있다.

몬순 시즌, 비 온 다음 날 잠시 장마가 쉬어 가는 사이 습기를 머금은 공기에 지친다. 땀이 비 오듯 하고 모기가 극성이다. 숲속 향이 짙어져 보기 드문 만찬을 대접받은 양 폐부는 호사다. 날씨 탓인지, 계절 탓인지 유난히 이끼가 눈에 띈다. 이끼의 정체는 뭘 까? 이파리인가? 나무에도 붙어 있고, 돌에도 붙어 있는 이끼 사진을 찍어본다. '이끼'라는 제목의 영화도 있던데 뭔가 끔찍한 포스터를 본 듯하다. 이끼가 주는 이미지가 그리 나쁘지는 않은데 영화의 줄거리는 어떻게 펼쳐지는지 궁금하다. 그리고 개망초! 물망초가 아닌 개망초! 잡초? 잡풀? 오롯이 이쁘게만 피었구먼! 이름도 분류도 시듬잖다. 새벽마다 앞산을 가시던 아버지를 따라 나

서던 기억이 난다. 아버지는 온갖 잡풀의 이름을 다 알고
계셨다. 그 중에 제일 기억에 남는 이름이 '개망초'다. 그래
서 이 풀꽃을 보면 아버지가 생각난다. 지금은 만날 수 없
는 곳으로 가신 우리 아버지!

해가 넘어간 산 옆구리를 걸어가고 있으니 마음이 푸근하
다. 해를 피하려고 애를 쓰지 않아도 되어 여유가 생긴다.
전에 한번 왔던 기억을 더듬으며 산을 내려 간다 그때는 겨
울이라 돌부리 밖에 본 기억이 없는데 신록이 우거지고 해
가 들지 않는 길이 대낮에도 어둡다. 돌에 걸려 넘어질까
조심스럽게 스틱으로 바닥을 짚으며 하산에 공을 들였다.

드디어 목표지점에 도달하였다. 천리만리 해바라기가 장관을 이루고 있을 줄 알았는데 그때 그 장면이랑 다르지 않다. 다소 김이 새어 멀대 같은 해바라기를, 모가지를 뒤로 접어 올리며 쳐다보고 있으려니, 꽃 규모에 맞추어 크기가 어마하게 큰 벌이 웅웅거리며 꿀을 빨아먹고 있다. 고개를 젓인 김에 해바라기 위에 떠 있는 하늘을 쳐다본다. 하늘이 나를 쳐다보고 있었구나!

칠 월 11일, 건 네 보 기

삼식이 밥을 챙겨 놓고 가야 하잖아! 해가 더 높이 뜨기 전에 서둘러 집을 나서야 하겠지만 소중한 우리 아들 한 끼 식사가 더 중요하니까…. 굳이 내가 차려 놓지 않더라도 혼자서 얼마든지 해결할 수 있겠지만 같이 보낼 수 있는 날들이 많지 않기에 한 끼라도 소홀히 할 수 없다. 일찍 일어나서 서두른다고 퉁탕거렸지만 집을 나서니 벌써 해가 빙그시 떠서 더워지기 시작한다.

휴일 아침 도로는 비어 있어 서너 번 신호를 기다려야 하는 로터리도 한 번에 통과하는 바람에 기사 아저씨는 최대한 천천히 액셀러레이터를 밟으신다. 산 입구에 도착하니 도로가 비어 있는 그만큼 산을 채워 넣기라도 하려는 듯, 연이어 내려오는 사람 그리고 올라가는 사람으로 가득하다. 산의 수용 능력이 상당한지 그래도 답답하게 느껴지지는 않는다.

산입 새에서 도시락을 맛나게 먹고 다리 건너 자판기에서 커피를 한 잔을 뽑고 스낵도 하나 골라서 발을 담글 만한 곳이 어디 있나 계곡을 살펴본다. 지난주 장맛비에 계곡물이 불어서 굳이 골짜기를 찾아다니지 않아도 쉴 만한 곳이 있다. 허겁지겁 신발을 벗고 물에 발을 담그고 있는데 이끼 낀 돌부리를 성큼성큼 건너 자리를 잡고 한 분이 앉으신다. 손을 흔들어 인사를 하니 인사를 받아 준다. 앞산을 찾은 지 삼 년에 처음으로 인사를 나누는 분을 만났다.

정확하게 말하자면 앞산을 다시 찾은 지 삼 년 만의 일이다. 생각해 보면 내가 학생이었을 때 이곳에 처음 체육 시설을 만들고 주민들이 찾아올 수 있는 공원을 조성하기 시작했을 때 나는 여기를 번질 나게 드나들며 친구들과 놀았던 기억이 있다. 하지만 학교를 졸업하고 일을 시작하고 결혼하고 아이를 낳고 그 아이들이 다 자라기를 기다리는 동안 한 번도 이 공간을 찾지 못했다. 웃고 떠들며 인사를 나누는 것은 대수롭지 않은 일상사였었는데 어느결에 차라리 입을 다물고 사는 것이 훨씬 더 편안하다고 생각하게 되면서 사람들의 시선을 외면하고 혼자만의 생각과 혼자만의 발걸음에 집중해 버리게 되었다. 벙어리 아닌 벙어리로 혼자만의 세상을 내가 사는 동안 세상이 너무 많이 변했다. 다시 돌아가야 할 세상인데 어디서부터 손을 대야 할지 아득하다.

그래서 먼저 인사를 건네 본 것이었는데, 할 말도 많고 아는 것도 많고 산행에 관해서는 모르는 것 빼고 모두 아는 듯이 이 산 저 산 소개를 해주며 산행을 권고해 주신다. 시원한 물에 발을 담그고 시간 가는 줄 모르고 들어본다. 이제는 봉합을 풀 시간이 되었는가 보다.

칠월 13일 밤과 14일 아침,
소리를 피하는 방법

계곡에 바짝 붙어서 산길을 올라갔다. 가슴이 뻥 뚫리도록 콸콸콸 내려가는 것은 아니었지만 종일 공해에 지친 머릿속을 단비처럼 적셔주었다. 이 기억을 잊어버리지 않게 집중해서 물 흘러가는 소리를 들었다. 집에 가서도 그대로 재생시킬 수 있으면 좋겠다.

칠월이 오면 두려운 것이 있다. 장맛비도 아니고 땡볕도 아니다. 에어컨 실외기 돌아가는 소리! 앞집 옥상에 설치되어 있는 실외기는 윙윙거리는 소리에 더해, 앙칼진 외침이 더해져 나의 골을 자극한다. 게다가 그 집에 거주하는 누군가는 유난히 더위를 많이 타는지 장마가 끝나고 한더위가 시작된 후 찬바람이 불기 전까지 이 십여 일 끊임없이 에어컨을 가동한다.

빛은 쉽게 차단할 수 있지만 소리를 차단하는 것은 쉽지 않다. 종일 안절부절못하고 어떻게 하면 소리로부터 해방될 수 있을까? 한숨을 내어 쉰다. 귀를 막아볼까 해서 고장 난 헤드폰을 찾아보았지만, 이리저리 뒹굴어 다니던 고놈이 아무리 찾아도 없다. 음악에 집중해 보면 어떨까 싶었지만 앙칼진 소리는 예민해진 내 귀의 주소를 정확하게 찾아 든다. 그래, 얼마나 더위를 못 견디면 저럴까? 연민을 가져보아도 오롯이 선 내 신경을 누그러뜨리지 못한다.

참고 견디고 또 견디며 일몰을 기다렸다가 집을 나선다. 고산골 맨발 산책로를 따라 걸었다. 텁텁한 바람을 보니 숲도 어지간히 지친 모양이다. 더위에 지쳤다기보다는 오가는 사람들의 등쌀에 지친 듯하다. 재잘거리는 사람들의 말소리에 숲의 고요가 깨어진다.

산책로 끝자락에 이르자 졸졸졸 계곡물 흘러가는 소리가 시작된다. 희미하게 환해지며 이제야 마음을 풀어 놓는다. 바짝 붙어서 가다 보니, 밤이 되면 시냇물에 멱을 감으러 다녔던 옛 아녀자들이 떠올라 발이라도 담그고 싶어 졌지만 행여 구백 구십 구 일를 견딘 이무기 뒤꿈치라도 밟으면 어쩌나 하여 한껏 자제를 한다.

한낮의 침전물이 얼마나 심각하였었는지 벼러 나온 야간 산책에 보태어 신천까지 걸어보았지만 크게 효능이 없었다.

이튿날 출근하는 신랑의 자동차를 얻어 타고 앞산 어귀에 내려 어제에 뒤 이은 머릿속 정리기를 또다시 재개한다.

안일사와 왕굴을 경유하여 정상을 찍고 잣나무 숲으로 내려가서 등받이 의자에서 잠시 휴식을 취한 뒤 고산골 계곡에 이무기는 승천하였는지 확인하고 돌아오는 지도를 그려 보면서 발걸음과 스틱을 걸어간다. 두 발을 보태었건만 정오도 되지 않았는데 중천에 떠 있는 해님 덕분에 땀이 비 오듯 쏟아지며 지쳐간다. 돌탑까지 가서 자두를 먹어야지, 왕굴에서 스낵을 먹어야지, 정상에 가서 삶은 계란을 먹고, 하면서 살살 나를 달래며 올라가 본다. 왕굴을 지나 너른 터가 있길래 철퍼덕 앉아 양말과 신발을 벗어 던진다. 오늘은 여기까지만 하자 생각하며 스트레칭하고 맨발로 원을 그려 뱅뱅 돌면서 재미난 상상을 해본다. 여기를 삼천삼백 삼십 세 번을 돌면 구멍이 열리고 천 길 낭떠러지로 떨어져서 구백 구십 구 일을 견딘 이무기의 정수리로 내려앉는 것이 아닐까? 하지만 현실은 개미 한 마리 마른 나뭇가지를 옮기느라 콧무니에 불이 쏟아진다. 일개미이겠지? 여왕개미가 집 지을 장작을 가지고 오라고 시켰나 보다. 살짝 손가락 들어 도와주고 싶어진다.

인내의 한계가 아니라 체력의 한계에 부딪히게 된다면 반드시 정상을 찍고 돌아와야 할 필요는 없다. 천천히 발걸음을 돌려 왔던 길을 되돌아온다. 멀지 않은 곳에 계곡물이

있었네! 하며 안일사 곁에 있는 자그마한 웅덩이에 시리도
록 발을 담그고 오케스트라 연주가 무슨 소용이냐 싶은 물
보라 소리를 듣는다.

칠월 18일, 해당화

"어머나, 해당화가 오동통하게 피었네!"

"아니야, 백일홍이야! 백일홍!"

백일홍이라고? 아닌데… 해당화 맞는데… 싶으면서도 더이상 우기면 싸움이 날 것 같아서 입을 다물었다. 나중에 찾아보고 바로잡으면 될 것 같기도 하고 이 친구와는 입씨름을 해봐야 득 될 것 없다 싶어서 마음을 접었다.

본격적인 장마에 접어들어 빗줄기가 점점 굵어지고 있는데 다리 건너 자판기 처마에 앉아 같이 차를 마시고 있다. 꽃을 얼마나 생생하게 가꾸었는지 색상이 선명하고 줄기가 튼튼하고 꽃은 오동통하다. 생각만 해도 멋들어진 장면이었지만 실상은 마음 깊숙한 곳까지 좋지는 않았다. 이 친구와 앙금이 있어서인지, 내 마음이 무뎌 져서 인지, 아니면 슬픔으로 덧씌운 내 마음 때문인지.

저녁상을 차려 놓고 집을 나섰다. 비가 올 똥 말똥 하였지만, 틀림없이 비가 올 것이므로 자전거를 무리하게 타고 가지 않고 우산을 받쳐 들고 여유 있게 걸어간다. 퇴근길에 도로가 꽉꽉 막혀 있었지만, 바쁠 것도 없는 나는 심드렁하게 버스를 기다린다. 버스가 예상보다는 늦게 도착할 것 같았지만 마음이 조급하지도 않다. 강당골에 도착했을 때도 비가 오락가락하고 있어 맨발로 걸어갈까 말까 망설이고 있는데 천연스럽게 맨발 산책을 즐기시는 분들이 있어서 자연스럽게 동참한다. 인근 아파트에 사시는 분들은 아예 집을 나설 때부터 맨발인지 양손에 신발을 나눠 들고 가는 나와는 다르게 발걸음이 가볍다.

산책로 끝에서 발을 씻고 젖은 발이 마르기를 기다리다가 밤마다 이 골에 산책을 나온다는 친구가 생각이 났다. 문자를 보내 본다. 오래 기다리지 않아 전화가 왔고 오겠노라고 한다

해가 지고 어둠이 내려앉기 시작하는 경계선을 따라 친구가 우산을 받쳐 들고 왔다. 성격도 취향도 특별한 그녀가 독특한 문양의 우산을 받쳐 들고 있어서 먼 걸음에도 한 번에 알아 채릴 수가 있었다. 역시 기대를 저버리지 않는구나 싶은 생각에 엷은 미소를 띄워본다.

절간 앞에 자판기가 나른히 세 개나 놓여 있어서 입맛대로 음료를 마실 수 있다. 나는 커피를, 친구는 생강차를 들

고 벤치에 나란히 앉아 있는데 모기가 극성이다. 나도 참 별나지, 모기가 연신 맨다리에 달라붙는데 부채질은 친구에게 해 주고 있다. "넌 참 이상하다! 왜 나에게 부채질을 해 주지?" 나는 그것이 편하다. 내 몸에 달라붙는 모기를 쫓는 것 보다 땀을 줄줄 흘리고 있는 친구에게 부채질해 주는 것. 그런데 친구는 그것이 이해가 안 되는 모양이다.

여행하기를 좋아하고 자신의 의견을 정확하게 이야기하고 매사에 맺고 끊음이 분명한 그녀는 내가 남을 배려하는 모습을 '가식'이라는 표현을 쓰며 넌더리를 했었다. 나와 다른 사고를 가진 그녀에게 나 또한 넌더리를 치며 한동안 멀리하였다. 이제는 약간 이해할 수 있을 것 같다. 나와 다른 환경에서 자라고 그 틀에 고정되어 있는 이를 나의 관점으로 보아서는 안 된다는 것을 알아가고 있다.

* * *

이미지 검색을 해 본 결과 내가 틀렸고 그녀가 맞았다. 백일홍이 맞았고 해당화가 아니었다. 나는 백일홍 나무를 생각하며 절대 그녀가 맞지 않다고 확신하였었는데 내가 틀렸다. 내가 알고 있었던 상식은 배롱나무, 나무 백일홍이었다.

팔 월 1일,
생 각 다 이 어 트

어거스트라는 닉네임을 사용하던 분과 스터디를 같이 한 적이 있었다. 8월처럼 정열적으로 살고 싶다고 했는데, 오늘 뜨거운 그 달의 첫날이다. 어제부터 날씨가 울그락 불그락 한다. 얼마나 더위를 견딜 수 있는지 시험하듯 극에 달한 기온에 견디다 하늘에 노성이 울리고 갑자기 비를 뿌리는가 싶더니 다시 해가 보인다.

불안정한 날씨 코드였지만 집을 나섰다. 맨발 산책을 낯설어 하는 동행을 격려하며 걸어가는 길에 매미 소리가 요란하다. 매미 한 마리가 사람이 다가가는 것을 어떻게 감지 하는지 슬그머니 도망을 간다. 날개가 있는데 날 수는 없는 지 굼뜨며 움직여 보는데 느릿느릿한 동작이 귀엽다.

같이 가는 동행에게 앞산 지도를 보여주며 이러 저러한 코스를 거쳐 해바라기를 만나러 가자고 했다. 예전에 보았던 그 해바라기를 보여주고 싶었다. 살짝 들뜬 목소리로 좋다고 대답하는 사랑하는 사람과 같이 걸어가는 발걸음이 가볍다. 비가 두둑 내리기 시작하였지만 피하고 싶지 않았다. 기분 좋게 맞이하며 조심스럽게 한 발 한 발 떼어본다. 산과 땅과 하늘과 내가 하나가 된 기분이 들었다.

빗물이 들썩여 놓은 숲속에는 어쩜 이러한 향이 나는지, 또 길섶의 나뭇잎들은 반짝거려 그냥 지나칠 수가 없다. 한 걸음 떼고 사진을 찍고 또 한 걸음을 떼고 사진을 찍는다. 눈에 담아가면 될 텐데 왜 자꾸 찍어 대는 것인지 모르겠다. 찍어서 폰에 저장하여 후일에 다시 쳐다보면 똑같이 기쁘고 똑같이 눈이 환~해질까?

다이어트 한 번 안 해 본 사람 없을 것 같고 현대를 살아가는 우리는 살과의 전쟁을 하는 것 같다. 예쁘고 멋져 보이고 싶어서 다이어트 하는 경우가 많지만, 요즈음은 건강을 위해서 불필요한 군살을 제거해야 하는 사람도 많다. 나도 예외가 아니다. 나는 본디 시간을 바쁘게, 긴박하게 살아가는 모험을 즐기는 편이라 몸을 혹사하는 편이다. 그런데도 군살을 피할 수 없는 이유는 먹거리에 문제가 있기 때문이다. 몸이 싫어하는 음식을 즐기고 폭식을 했다. 다섯, 여섯 시간을 걷고 나서 허기진 배에 채워 넣는 것이 스낵이라면 건전하지 못한 것 같다. 배부르게 먹고 나서 과일을 먹고 또 간식을 바로 먹는다. 좋지 않은 것 같다. 이와 같다 생각 폭식도,

생각에 생각을 부르고 생각했던 것을 또 생각하고 꼬리에 꼬리를 무는 생각을 잘라 낼 수가 없는 경우가 있다. 그래서 오늘 한껏 자연의 품에 안겨 아무 생각 없이 발걸음을 떼며 생각을 비워내는 이 순간이 좋다. 이렇게 말갛게 비워내는 날들이 쌓여가면 좋겠다.

내려가는 길이 힘겹다. 내딛는 발걸음에 다리가 풀리지 않도록 잔뜩 긴장해야 한다. 하산에 익숙하지 않은 친구는 뽀료똥 화가 난 듯하다. 해바라기가 기다리고 있잖아? 격려하며 뒤따라 벌레에 쏘일까 연신 부채질하는 팔뚝에 사랑이 가득하다. 내 몸과 같이 아끼는 그이가 다치지 않기를 바란다. 몸도 마음도 다치지 않기를 바란다. 피할 수 없다면 고개를 젓 혀 해바라기 한 번 쳐다보고 해바라기 너머 하늘도 쳐다보기를 바란다.

팔 월 7일, 진 자 놀 이

　팔월 첫째 주! 피서를 떠나거나 피서로 집콕을 택하거나
하여 도로가 비어 있다. 떠날 수도 없고 집콕을 할 수도 없
는 나는 해가 떨어지기를 기다려 한산해진 도로를 마구 달
려 강에 이르고 강을 거슬러 올라가서 어둑해지면서 선명하
게 드러나는 산등성이에 안긴다. 하루, 이틀, 삼일, 그리고
오일이 되도록 진자놀이하듯 똑같은 코스를 걸어보았다.

　특별한 계획이 있었다기보다는 별다른 대안이 없었다. 기
를 쓰며 공부를 하는 아들 밥을 차려 주어야 할 것 같아서
집을 비울 수가 없었고 하루치 할 일을 다 마친 시점에 진
저리나는 소음을 피해 집을 나섰다. 하루종일 달궈진 아스
팔트 열기가 팔 다리에 달라붙었지만 강바람에 조금 떨쳐내
고 산공기로 완전히 씻어 내리고 공원 모래밭에 발을 묻고
열기를 식히고 돌아오곤 했다.

신천변에서 시작하여 공룡공원을 지나 고산골에 이르는 이 코스는 맨발 산책로는 아니지만 간혹 신을 벗고 걸으시는 분들이 있었다. 나도 조심스럽게 맨발로 걸어보았지만 오가는 사람들의 시선을 의식하지 않을 수 없었는데 이제는 열기를 더해가는 날씨에 지쳐서 사람들은 남의 안중을 신경 쓰지 않는다. 그래서 훨씬 자유로운 마음으로 걷는다.

　……

　그 날은 유난스레 남의 시선이 느껴져서 맨발로 걸어가는 내내 마음이 불편했었다. 얼마간 걷다가 계곡에 발을 담그고 이리저리 노니는 송사리 떼를 동영상에 담으려고 고개 숙여 폰을 물 가까이 들이대며 혼자 신나하고 있는데 한 여자분이 나를 쳐다본다. 희미한 웃음을 띠고 있었지만 그 이유를 알지 채지 못했다. "아저씨들이 민망해 하잖아요" 하며 말문을 뗀다. 그리고 나는 심장이 두근거리고 피부는 오싹 돋고 정신은 어리뚱해졌다. 습도 높은 날씨에 다리에 들러붙은 바지를 입을 수가 없어서 평소 복장과 다르게 핫팬츠를 입고 있었다. 계곡에 다리를 드러내고 앉아 있다고 수군거리고 있었는데 내가 눈치를 채지 못한 것이다. '더우면 지 집에서 벗고 부채질이나 하고 있지'라는 말이 들려왔다. 아침 뉴스에 보도된 십대 자살 사건이 퍼뜩 떠올랐다.

집단 따돌림, 놀림, 왕따! 대수롭지 않은 척 웃으면서 "진작에 애기해 주지 그러셨어요?" 하고 황급히 돌아오는 걸음에 다시는 앞산에 오지 못하겠구나 싶은 생각이 들었다. 마음에 상처를 입는 것은 이런 것이구나 싶었다. 이박 삼일을 보내고 좀더 적극적으로 대처하지 못한 내가 참 못났다 싶다. 나의 복장에 문제가 있건 없건 집단으로 수근거린 사람들의 잘못도 있는데 내가 왜 상처를 받고 황급히 자리를 떴는지.

....

공룡공원에 앉아 친구를 기다리고 있는데 활짝 웃으며 나타난 친구가 핫팬츠를 입고 있다. 나는 이제 피부가 드러나는 짧은 옷 못 입어! 왜? 내게 있었던 일을 이야기 하자 // 자기는 가만히 안 있는다고/ 그 자리에서 이야기한다고/ 왜 남의 이야기를 수근거리느냐? 당신들은 몸매가 안 되어 질투하냐? / 말할 거라면서, 남의 시선을 왜 의식하냐고/ 남의 시선 신경 쓰기 시작하면 끝이 없다고// 처음부터 끝까지 내 편을 들어주었다. 아 이런 것이 지하님이 풀어 놓으신 감정의 수용이구나! 평소에 소신을 똑 부러지게 이야기하는 바람에 정나미 떨어졌던 그 친구가 듬직하게 느껴졌다.

…………..

    간밤에는 내린다던 소나기는 오지 않고 마른 번개만 쳐대어 습도를 한껏 올려 놓은 탓에 옷은 폭삭 젖어버렸는데 잠은 곤히 잤다. 공룡공원에 덩그러니 세워진 브라키오사우루스—둘리 엄마 공룡이 은연중에 내 의식에 들어왔었나 보다. 추를 흔들며 잠이 온다 잠이 온다 하는 최면에 걸려 스르르 잠들어 버리던 둘리의 모습에 나를 겹쳐 본다. 똑같은 시간 똑같은 코스를 반복 걸으며 리듬을 만들었고 내 편 들어주는 친구가 곁에 앉아있다.

십 일 월 27일,
의논이라도 했는거 맨쿠로

"의논이라도 했는거 맨쿠로 우째 그래 크기도 모양도 똑같노"

라는 엄마의 말에 배를 잡고 웃었다.

언제쯤이었더라? 여름내 실컷 텃밭의 고추를 따 먹고 실실 찬바람이 불기 시작하면서 더 이상 고추가 열리지 않게 되자 엄마는 고추나무를 죄다 뽑아 버리고 배추씨, 무씨를 뿌렸다. 씨를 뿌리고 나서부터는 앉으나 서나 걱정이다. 싹은 제대로 틔웠는지, 뿌리는 제대로 내렸는지, 비가 너무 와도 걱정, 안 와도 걱정! 엄마의 정성으로 꼬물꼬물 싹이 트고 느릿느릿 자라서 무는 제법 모양새를 뽐내고 있다. 시퍼런 무청이 보기만 해도 군침이 돈다. 그랬는데 어제 엄마가 카톡을 보내왔다.

'날씨춥다는대무우뽑아야안대갯나토요일씨간되나'

　내용인즉슨, 무는 얼어버리면 맛이 없다고 날씨 추워진다는 예보가 있었기에 조바심이 난 엄마가 토요일에 무를 수확을 하자고 한 것이었는데 나는 토요일까지 미룰 필요 없을 것 같아 당장 달려갔다 무는 땅속에 머리를 박고 있는지라 어떤 모양새인지를 뽑아 보기 전에는 알 수가 없다. 은근히 실한 무를 기대했던 엄마는 뽑아 올리는 것 마다 조막(주먹)만 하니 설마 설마 하는 마음으로 끝까지 다 뽑아 보았자 크기도 모양도 똑같이 조막만 하여 실망 끝에 한 말이다 '의논이라도 한 것처럼!' 무슨 의논을 하였을까?

　땅속 무 나라 회의가 소집되었다. 해가 저물고 인적이 끊겨 조용해질 때를 기다려 무나라에 싸이렌이 울렸다 오늘 긴급회의가 개최되오니 빠짐없이 참석해 달라는 당부 문자가 종일 폰을 시끄럽게 하던 차에 싸이렌까지 울려 대니 참석하지 않을 수 없었을 것이다.

　조용하던 산어귀 마을에 공룡공원이 조성되고 억 소리 나는 구 예산을 들여 세워 놓은 모형 공룡의 우짖음으로 하루도 맘 편히 쉴 수 없었다. 생각에 잠길 시간은 꿈도 못 꾸었고 일상을 뒤덮은 소음 아닌 소음으로 도무지 집중할 수가 없었다. 자연스레 성장이 더뎌지고 어떤 녀석은 아예 생장을 포기하기도 했다.

하나, 둘 자꾸만 나부러지는 통에 멀쩡히 자라던 녀석들도 풀이 죽어 땅속을 뚫고 들어갈 힘을 잃어갔다. 그래서 오늘 긴급회의가 소집되었다. 꼿꼿이 땅을 딛고 두 팔을 벌려 일어서야 하기에 이웃을 돌아보아 북돋워 주고 일으켜주고 나눠주어 함께 자라나야 한다고 쾅! 쾅! 쾅! 결론이 났다.

"아이구 세상에 우째 그래 의논이라도 한 거 맹키로 하나같이 요 모양 요 꼴이고! 그런데 억수로 달다 물도 많고 맛있다"

큰 골

유 월 2 0 일 일 요 일 ,
맨 발 산 책

뙤약볕이 내리쬐는 일요일 오전이었다.

　망설임 없이 산을 들락거리던 걸음을 멈추었다. 자외선이
눈을 자극한다는 설을 들은 바 있었지만, 막상 나의 문제가
될 줄은 몰랐는데 요즈음 나의 안구 건조증이 심해지는 원
인이 건강을 위해 무작정 걸어 다니는 나의 생활 환경에서
비롯되었다는 것을 자각하여 산행을 애써 자제하고 있었다.
　하지만 집 뒤편, 고층 아파트 어디선가 들려오는 악기 연
주 소리, 앞집 아저씨 전기드릴 돌리는 소리에 더하여 위층
에서 진공청소기 돌리는 요란한 소리가 나자 나는 인내심의
한계를 느끼며 주섬주섬 옷을 챙겨 입고 앞산으로 향했다.

오후 2시! 겨우 한낮의 땡볕을 비껴갈 수 있는 시각이다. 아쉬운 대로 출발한다. 몸의 열이 배출이 안 되는지 온몸이 뜨겁고 발바닥이 화끈거려서 맨발 산책을 하고 싶었다. 맨발 산책하기는 대덕 맨션 길 건너 맨발 산책코스가 제일 좋다. 구청에서 작정하고 발을 씻을 수 있게 수도시설을 갖춰 놓은 길이고 맨발로 산책하시는 분들이 많은 코스이다. 그렇지만 평일에도 산책하시는 분이 많은데 주말에는 발 올려 놓을 틈이 없을 것 같다. 그렇다면 충혼탑 옆 산책코스가 오늘 나에게는 딱 맞겠다. 비교적 넓은 산책로를 만들어 놓았고 땅바닥을 정리해 놓은 상태라 발바닥을 자극할 만한 커다란 돌멩이가 없다.

가파른 산책로 입구를 단숨에 지나 넓은 평상에 앉아 신발과 양말을 벗고 길을 걷기 시작하는데 아이코! 휙 독사 새끼 한 마리가 수로를 만들기 위해 쌓아 놓은 돌 틈 사이를 유연함의 끝판을 보이며 지나간다. 어떠한 무용수의 유연함도 비교 대상이 되지 않을 것 같다. 예전에는 좁은 산길, 우거진 숲길을 맨발로 겁 없이 걸어 다닌 적도 있었는데 지금 생각하면 아찔하다. 그간 뱀을 안 맞닥뜨린 우연에 감사하며 조심스럽게 맨발을 드러낼 것을 다짐해 본다. 예전에 비가 오던 날 이 길을 맨발로 걸을 땐 흙이 빗물에 촉촉해서 기분이 좋았던 기억이 나는데 오늘은 건조하기 이를 데 없는 흙과 자잘한 돌멩이가 발바닥을 자극하여 걷기가 몹시 힘이 든다. 빨리 목표지점에 도달하기를 조바심 내어본다. 아프다. 연한 살갗이 거친 땅에 닿는 촉감이 나쁘지는 않았지만, 반복적으로 자극을 받다 보니 온몸의 신경이 곤두선다. 맨발 걷기가 생판 처음은 아닌데 조금 더 단련할 필요가 있는 것 같다. 아프리카 숲 속을 맨발로 달리는 민족이 떠오른다. 그들도 처음이 있었고 아팠겠지 만 쉬지 않고 조금씩, 조금씩 그리고 마침내 아무렇지도 않게 거친 바닥을 맨발로 디딜 수 있게 되었겠지?

어찌나 힘을 주고 걸었던지 등짝에 땀이 송글하다. 케이블카 정류소 아래 계곡에 앉아 희미하게 흐르고 있는 물에 발을 씻고 말리며 지난여름을 떠올린다. 그땐 계곡물이 철철 넘쳐 흘렀는데… 시원하고 좋았는데… 발을 담그고 책을 읽었는데… 또 한차례 그 계절이 지금 오고 있겠지!

유월 29일 아침,
여기 같이 와 보자

 더위가 본격적으로 시작되고 있다. 6월이 꼴까닥 넘어가고 있는 29일이다.

 이 차 저 차 하여 잠시 일을 쉬어 가기로 한 것은 잘한 결정인 것 같다. 결혼한 이래 한 번도 다잡아 해 보지 못한 '살림살이'라는 것을 이참에 해 볼 요량이다. 오늘 하지 않으면 천지 난리라도 나는 듯이 날마다 치우고 닦는 행위를 도통 이해하지 못했었다. 나에겐 그보다 멋진 우선순위가 늘 존재했었다. 그런데 최근에 알게 되었다. 날마다 하지 않으면 쌓이고 굳어진 티끌을 떼 낼 수가 없게 된다는 것을, 때를 놓치면 아무리 치우고 닦아도 뫼비우스의 띠처럼 원점을 돌아, 이 방을 정리하면서 저 방에 쌓아놓고, 저 방의 물건을 다시 이방으로 옮기면서 무한 반복되는 순환의 고리를 잘라낼 수가 없게 된다.

아침에 눈 뜨자마자 할 일이 천지일 때는 아예 생각조차 하지 않았던 아침 산행! 서두르지 않고 천천히 아침 식사를 마치고 집을 나섰다. 어느 쪽으로 가면 해를 피할 수 있을까? 머릿속이 복잡하다. 갈팡질팡 버스 정류장에 서 있는데 앞산 공원으로 가는 300번 버스가 진입한다. 일단 버스를 타니 어디로 가야 할지 마음이 정해졌다.

버스 종점에 내려 공원 좌측의 우회 길로 접어들었다. 들어서자마자 시원한 그늘이 드리워진 숲이 나를 반긴다. 좋다. 어귀 벤치에 잠깐 앉았다. 이대로 몇 시간이고 앉아 있어도 좋겠다 싶은 생각이 무색하게 갑자기 '푸지 찍~' 먼지 터는 소리가 억지 발걸음을 재촉하듯 온 산에 진동한다.

은적사 쪽으로 우회하는, 가마때기 덮어 놓은 길을 걷다가 벤치가 보이길래 또 앉았다. 이 길을 처음 걸어본 것은 아니지만 이 테이블형 벤치엔 처음 앉아 본다. 빙그르 솔나무에 아기자기하게 싸여 있어 솔향이 난다. 한참을 앉아 스트레칭하고 물을 마시고 짝지어 통통거리며 나뭇가지 사이를 넘나드는 새 한 쌍을 쳐다본다. 누군가를 떠올리며 '여기 같이 와 보자'라고 읊조려본다.. 한자리에 너무 오래 앉아 있었나 보다. 모기가 여기저기 사정 안 봐주고 침을 찔러 놓았다. 가려워! 게다가 시름시름 햇살이 새어들기 시작한다. 주섬주섬 가방을 챙겨 들고 다시 걸음을 옮겨본다.

아침에는 산을 찾으시는 나이 지긋하신 분들이 많다. 10시를 넘기니 집안일을 마치고 삼삼오오 아줌마들이 수다를 떨며 올라온다. 친구가 있다는 것, 게다가 같이 산길을 걸을 수 있는 친구가 있다는 것이 부럽다. 친구가 많다는 이들도 있고, 둘도 없는 친구가 있다는 이들도 있는데 나는 친구가 없다. 언제부터였을까? 내가 하나씩 둘씩 친구들을 정리하기 시작한 것이, 사람 관계를 단절해 버린 것이, 왜 그랬을까? 친구 같은 엄마와 딸 혹은 나이 차이가 크게 나는데도 친구 사이라고 우기는 경우는 진실일까? 친구는 공통 분모를 가진 수평의 관계이다. 차 한잔 같이하는 친구, 여행 같이 가는 친구, 학창 시절 친구, 골목 친구, 종교활동을 같이하는 친구 등등…뭔가 공통의 분모가 있다. 그 분모 위에 돌탑 쌓듯이 나 하나 친구 하나 돌을 쌓아가는 관계이다. 아슬하게 균형을 잘 잡아야 버텨낼 수 있는 관계이다. 혈연은 쉽게 끊기지 않지만, 목숨을 내어줄 수 있다 장담하는 친구였더라도 한 곳에 삐걱거리고 생판 남보다 못한 관계가 될 수도 있다. 그런데 나는 항상 들어주기만 하는 친구였다. 나도 뭔가 할 말이 있는데도 항상 들어주기만 했다. 내가 성인군자가 아닌 이상 그러한 관계는 지치기 마련이라 하나씩 둘씩 친구들을 정리하기 시작한 것 같다. 그런데도 같이 있음을 그리워하고 있는 것은 나도 사람이기 때문이겠지? 사회적 동물인 사람이기 때문이겠지?

어떻게 다시 인간관계를 회복해야 할까? 어디서부터 시작해야 할까? 이렇게 사람이 두려운데, 더구나 바이러스 탓에 얼굴을 가리고 다니는 세상이라 코와 입까지 달린 사람은 낯설기만 하다.

칠 월 1일,

가 다 말 다 바 람 을 만 나 다

저녁 식사를 차려 놓고 6시쯤에 자전거를 끌고 집을 나
선다. 자전거 앞바퀴가 말썽이다. 바람을 넣자마자 남김없이
새어 나온다. 동네 자전거방에는 가기 싫은데 선택의 여지
가 없다. 질질 끌고 그곳에 가니 먼저 온 학생 손님 자전거
안장을 열심히 손을 봐주고 있다. 바쁜 것도 없고 타이어를
갈아야 하나 말아야 하나 망설여져 한편에 앉는다. 저번에
자전거 타이어를 엉터리로 갈아 주었었다. 맡겨 둔 자전거
찾으러 가서 확인을 제대로 안 하고 계산만 치르고 자전거
를 타고 왔는데 후에 보니 구멍 난 타이어가 아니라 멀쩡한
쪽을 갈아주었던 것이다. 다시는 안 가리라 다짐하며 오며
가며 지나쳐도 눈 안 마주치려 그간 애를 썼는데…

쪼그려 앉아 능숙하게 타이어를 갈아 끼우는 모습이 프로다. 눈썹에 희끗희끗한 털이 나 있는 것을 보아하니 칠십 중반을 넘어 팔십은 다 되어가는 듯한데 기술이 있으니 좋긴 하다. 그 나이엔 어디서 어떻게 시간을 보내야 할지 몰라 하시는 분들도 많은데 돈도 벌고 소일도 하고.

탱탱하게 잘 굴러가는 자전거를 타고 있으니, 기분이 좋다. 이만 오천 원의 행복이다. 정류장에 자전거를 세워 두고 달서 4번을 탔다.

버스 차창으로 보이는 퇴근길 풍경이 낯설다. 오전 9시에 출근하여 오후 6시에 퇴근하는 꽉 짜인 생활을 견디기엔 너무나 자유로운 영혼인 나는 남들보다 늦게 출근해도 되는 일을 한다. 남들 퇴근하여 휴식을 하는 시각에 아르바이트를 나가기도 한다. 그래서 오후 6시 전후해서 도로 상황이 느릿하게 굼뜨게 된다는 것을 잊어버리고 살았다.

하차하여 몇 발짝 떼자, 발바닥이 화끈거리고 불에 덴 듯 뜨겁기까지 하다. 충혼탑 옆 등산로를 오르다가 평상에 앉아 신을 벗어 가방에 넣고 걷기 시작했다. 건조한 날씨 탓이겠지? 자잘한 돌갱이가 살을 파고드는 것 같다. 아이쿠! 아야! 조곤조곤 걸으며 온몸에 어찌나 힘을 주었던지 허리가 아프다. 30분 정도 걸어야 하는데 도저히 목표 달성을 할 수가 없다. 걸어가다가 길 가 벤치에 털썩 주저앉았다. 발바닥에 묻은 흙을 느릿느릿 털어내며 다시 돌아갈 궁리를 한다.

산을 오르기 시작하면 반드시 정상을 찍어야 할까? 힘들면 얼마든지 쉬어도 되고 가다가 돌아와도 되지 않을까? 목표를 정하고 도달하기 위해 애를 쓰는 것은 가치 있는 일이다. 땀을 흘린 만큼의 발전과 변화를 기대할 수 있다. 혹은 그 이상의 성취감을 맛볼 수 있다. 하지만 땀을 뻘뻘 흘리며 오르는 일에만 집중하다 보면 팔랑이는 이파리와 이파리 사이를 지나가는 바람 소리를 들을 수 없을지도 모른다. 신발을 신고 가던 걸음을 돌이킨다.

과연 내 생각이 옳았다. 저녁 식사 시간이어서 그랬겠지. 쉴 새 없이 오가던 발걸음 소리가 끊기고 조용하다. 그리고 바람 소리! 들린다. 바람 소리 좋다. 이파리는 흔들리고 바람은 분다. 여름엔 너도나도 열어놓은 문을 통해 빠져나오는 소리가 있다. 에어컨 실외기 돌아가는 소리, 냉장고 돌아가는 소리, 뒷집 티브이 시청하는 소리, 앞집 주방에서는 식사하느라 딸그락거리는 소리가 들린다. 이 소리 소음에서 벗어나 바람에 흔들리는 나뭇잎 소리를 듣는다. 너무나 소중한 소리이다. 오래도록 기억 해야지, 잊어버리지 말아야지! 혼자 말하며 쳐다보는 나무 사이로 고라니 한 마리 나뭇잎 뜯어 먹는 풍경을 본다.

시 월 9 일 , 들 국 화

가만히 있고 싶어
그런데 자꾸 몸이 흔들려
오늘 다시 가 보았다
아직도 흔들거리고 있는가 보려고

십 일 월 22일,
화 려 한 이 별

가을산은 이별 준비로 부산하다
환하다
화려하다
다시 못 올 길을 떠나면서도
설렁설렁 꼬리를 흔든다

그토록 가 닿고 싶었던 땅바닥
흔들리고 흔들리며 수 날을 기다려
어느 날 아침 찬바람 한 가닥에 휘~이 찰라처럼 떨어져
닿다

안지랑골

일 월 23 일 ,

히 말 라 야   자 락 에   산 다 고   한 들

오 르 지   않 는 다 면

앞 산   자 락 을   쉬 이   오 르 니 만   못 하 다 .

설을 일주일 앞둔 일요일 오전이다. 집 안 청소나 하자고
하는 남편의 권유를 뿌리치고 늦은 아침을 먹은 뒤 집을 나
선다. 한두 차례도 아니고 여러 번 똑같은 상황을 겪었기에
이제는 정신 바짝 차리고 가능하면 남편과 같은 공간을 너
무 긴 시간 공유하게 되는 것을 멀리한다. 아침에 출근하여
저녁에 돌아오는 남편을, 해가 지면, 이제나? 저 제나? 언
제 오나? 기다리게 되지만 쉬이 싫증을 느끼게 된다, 막상
같이 있게 되는 시간이 길어지면.

그래서 진득이 눌어붙고 싶은 겨울 아침의 이부자리를 걷어버리고 매몰차게 마음을 먹고 앞산을 향한다. 막상 산자락에 발을 담그면 오기를 참 잘했구나! 마음이 편안해진다. 춥지 않고 공기질도 좋은 겨울 앞산에는 등산객들이 많다. 부부, 가족 단위 사람들이 많다. 혼자 오르는 길이 이제는 낯설지 않지만, 같이 오면 더 좋겠다 싶은 마음이 들기도 한다.

이십만 원이나 주고 산 등산화는 제법 경사가 진 길은 오르기에 좋다. 어제 침을 과하게 맞아 어딘지 모르게 찌뿌둥하기도 하고 해서 맘먹고 경사가 가파른 등산로를 택하여 산을 오른다. 앞산 정상까지 최단 시간에 오를 수 있는 길이다. 등 짝에 땀이 배기 시작하자 욕심이 생겨 정상을 찍고 내려가겠노라고 남편에게 문자를 보내고 나니 간식을 하나도 안 챙겨 온 것이 마음에 걸린다.

돌무더기에 앉아 생수병 반을 비우고 정상에서 나머지를 마셔야지 하며 걸어가는데 많이 허기진다. 가방을 뒤져 죽염을 입에 문다. 갑자기 머리가 하얘지며 걱정이 된다. 적당히 걷고 하산했어야 했는데 타이밍을 놓쳐 버렸다. 무조건 정상까지 갔다가 하산해야 하는데 당이 떨어지는지 몸이 떨린다. 등산 가방에 항상 간식을 챙겨 왔었는데 오늘은 간단히 걷다 오려고 생각했기 때문에 아무것도 없다. 어찌어찌 산등성이에는 도달하였는데 하산할 일이 까마득하다. 남아있던 물을 마셨다.

마침, 성가시게 가방을 굴러다니던 박하사탕 한 알이 생각난다. 겨우 찾아서 입에 털어 넣으니, 마음이 편안하다. 어찌할까 싶던 마음이 편안해지고 온몸에 힘이 살아났다. 안일사 앞에 이르러 절간 앞 자판기를 둘러보고 제일 건더기가 많아 보이는 음료를 골라 의자에 앉았다. 맛있다. 당이 도는 느낌이 확실히 든다. 잠시 스트레칭을 하면서 내려다뵈는 도심을 구경한다.

사 월 10일,
진 달 래 꽃 단 상

　외출을 하게 되는, 특히, 산행을 결정하게 되는 최우선 전
제 조건이 공기질의 호불호라니 머어언 시대 사람들이라면
도저히 상황을 정리하지 못할 일이다. 공기질이 사시사철
시도 때도 없이 좋았다가 나빠졌다가 하고 건강에 직결되는
문제를 야기할 수도 있다고 하니 싫든 좋든 기상예보에 귀
기울이며, 청에서 권유하는 대로 따를 수밖에 없다. 하지만
어쨌든 오늘은 공기질이 좋다 못해 대박이다. 하늘은 푸르
고 햇살은 따끈한데 선거권 행사를 위한 특별 공휴일이다.
　설마 따라올까 하는 마음으로 '나는 오늘 앞산 정상에 간
다!' 했더니 남편이 대뜸 '나도 갈까?' 답한다. 내가 이리로
가려고 하면 저리로 가자고 하고, 이것을 하고 싶다 하면

그런 것은 해서 뭐 하느냐고 하면서 끊임없이 반대 의사를 표하는 남편이랑 지난 몇 년간 쉼 없이 언쟁을 벌인 터라 사월 공기 질 좋은 공휴일 한 날의 앞산을 남편과 공유하기는 싫다. 그래도 따라나서는 사람을 말릴 수는 없어 간단한 간식을 준비하여 안지랑골 공용 주차장에 차를 주차하고 산을 오르기 시작한다.

거의 매일 가는 산이지만 최근에는 어귀에서 맨발 산책을 주로 했기 때문에 모처럼 만의 등반이 쉽지 않다. 쉬엄쉬엄 올라가는 남편을 따라잡는데도 숨이 턱에까지 차오른다. 그래도 오기는 있어서 되돌아간다는 생각은 꿈에도 하지 않는데 체력의 한계에 난감하기만 하다. 경사가 더욱 가팔라지는 지점에 이르러 배낭을 단단히 졸라매고 두 다리와 두 팔로 산을 기어 올라간다. 일명 '호보법'이라고 하는 이 자세가 허리 병에 좋다는 설을 들은 적이 있어서, 사실 이 지점에서는 늘 기어 올라갔다. 서서 걸으면 다리가 후들거리지만, 허리를 구부리고 두 손바닥을 땅에 대는 순간, 땅바닥을 마주하는 순간, 평안이 찾아온다.

경사길이 마무리되는 지점에 소나무가 많이 자라고 있어 기분 좋은 향이 나는 곳이 있다. 이곳에, 이맘때에, 어김없이 피어 있다, 분홍 진달래꽃! 분홍이라고 딱 잘라 단정 지을 수 없는 색상의 분홍 빛깔 진달래꽃! 나는 이 꽃의 색깔이 마음에 든다.

희멀그래한 색도 아니고 색상 짙어 도도함을 뿜내는 깔도 아닌, 그저 자연인 색깔이 좋다. 소나무 아래 그늘에도 아랑곳 않고 잘도 피어 있다. 하지만 사실 색을 제외하면 볼품은 없다. 키는 멀대 같이 길고, 이파리가 나기도 전에 꽃이 먼저 피지만 꽃이 지기도 전에 또 이파리를 만나기도 하고, 가지가 제각각 뻗어 가서 볼품이 하나도 없다. 목련같이 덩실하게 큰 꽃도 아니고, 벚꽃같이 자잘한 멋도 없이, 어정쩡하게 암술과 수술이 드러나 있는 너불너불한 꽃!

엄마도 그랬다. 안 입고, 안 쓰고, 꼬부라진 허리 업신여김 당하시면서도 꼿꼿하셨던 엄마에게서 진달래꽃 향을 맡는다. 원래 이 꽃은 향이 없지만 어쩐지 나는 그 향내가 난다. 엄마에게서, '진달래꽃 단상'이라고 미리 제목을 정하고 글을 구상하던 중에 엄마가 쓰러지셨다. 깊은 잠을 주무시고 계신다. 그간의 고단함을 씻어내시려는 듯 자꾸 자꾸 잠을 잔다. 부모는 무조건적으로 자식을 사랑하지만 자식은 조건부로 돌려주며 최선을 다하지 않는다. 할 수 있었음에도 불구하고 최선을 다하지 않은 후회가 가슴을 압박할 때마다 떠올려 본다. 그 진달래꽃 그 향을, 상처 난 기억에 발라본다. 나의 죄책을 외면하고 그 날 그 산에 펴 있던 꽃을 떠올리려고 애를 써 본다.

높든 낮든 산을 다 올랐을 때는 만족감이 찾아온다. 굽이굽이 봉우리는 아니지만 한두 봉우리 배경 삼아 사진을 찍었다. 앞산 정상을 찍고 하산하는 코스는 길이 밋밋하기도 하고 시간이 오래 걸리기 때문에 여느 때처럼 왕굴로 빠지는 길로 들어섰다. 유난히 그늘져 음기가 가득한 그곳에, 그래서 더 색상 고운 진달래꽃 틈에 얼굴을 내밀고 사진 한 장을 찍고 쉼 없이 내리막길을 달려 막바지 지점에 이르러 참았던 식욕을 돋우었다. '비빔국수 해 먹을까?' 한마디에 고추장 양념을 유난히 좋아하는 남편은 저만치 주차장을 서둘렀다.

유월 23일,
덩굴에 휘감기다

기분이 끝 간 데 없이 절망적이고 날씨도 흐리다. 집에 계속 있어 보았자 똑같은 생각만 도돌이표를 찍을 것이고 집안 공기는 텁텁해서 견딜 수가 없다. 산에 갈 기분은 아니었다. 하지만 마땅히 갈 곳이 없어 정오에 억지로 집을 나선다. 자전거 페달 밟을 기운이 안 나는데 어떻게 산을 오를까 싶어서 다시 집으로 돌아오다가, 아니다 싶어 다시 가다가를 반복하다 결국 안지랑골 행 버스를 탔다.

오늘은 전망대를 경유하여 앞산 정상까지 가 볼 작정을 하고 스틱까지 챙겨왔다. 바나나 2개, 사과 한 개 그리고 제사 지낸다고 껍질을 까놓은 생밤 두 알을 간식으로 챙기고 물도 준비했다. 늘 그렇듯이 산자락에 도착하자마자 등산 코스가 바뀌었다. 안일사로 올라가는 시멘트 길에 정오의 햇살이 한창이라 그 길과 나란히 올라가는 가파른 우측 길로 들어섰다. 나무가 적당히 해를 가려주고 시원한 바람까지 불었지만, 순식간 등에 땀이 차올랐다. 천천히 시간을 죽여 가며 걷다가, 앉아서 쉬다가, 또 앉아서 책을 읽기도 하고 메모를 하기도 한다. 드문드문 사람이 다니는 길인데 영 인적이 드물어 혹시 오늘 공기 질이 안 좋은가 싶어 검색해 보니 초록과 파란색이 보여서 기분이 좋아졌다. 힘껏 공기를 흡입해 보았다.

경사 길 오르기를 너무나 버거워하던 동행과 같이 올랐던 기억이 났다. 그때 같이 앉아서 쉬었던 돌의자를 지나 길섶의 넝쿨을 보았다. 기댈 곳을 찾지 못한 넝쿨은 땅을 기어가고, 어떤 것들은 마침 나무 둥치를 만나 기어 올라가고 있는 판국이었다. 어리디 여린 넝쿨이 귀엽다. 귀엽다 귀엽다 하며 가만히 지켜보면 넝쿨은 자잘한 발을 나무에 콕콕 찍으며 순식간에 나무를 휘감아 버린다. 넝쿨이 나무에 엉겨 붙어 나무를 옴 짝도 못 하게 한다면 받아 주어야 하지 않을까? 몸부림칠수록 더 옥죄어 와서 더욱 힘이 들 것이다. 손해 보는 거 맞지만 살아남기 위해 어쩔 수 없게 된다. 그러니 어린 넝쿨 잎이 엉겨 붙기 시작한다면, 여리고 예쁜 모습에 현혹되지 말고 과감하게 잘라 내어야 한다.

앞산 정상을 향해 좌측으로 길게 뻗어 있는 산등성이 길을 따라 해를 등지고 시원한 바람을 맞으며 걷다가 왕굴로 내려가는 길로 접어들었다. 이 코스는 해가 거의 들지 않고 골이 깊어 기분이 좋아지는 코스다. 혼자 다니기엔 으슥하다 싶어도 좋은 기운이 감도는 곳이라 나는 즐겨 다닌다. 제 2 전망대를 찍고 왕굴 앞 벤치에 앉아서 소리 내어 책을 읽었다. 혼자 지내는 시간이 많아서 말할 기회가 없는데, 말을 해야 치매 예방이 된다고 하기에 내가 고안해 낸 생각이다. 이 사람 저 사람 아무나 만나 아무 소리나 내는 것보다 혼자라도 좋은 책을 소리 내어 읽어보는 것이 나쁘지 않은 방법인 것 같다.

도서관 구내식당에 들러 맛난 식사를 할 생각에 가벼워진 마음으로 하산하였는데 식당은 휴업 중이었다. 할 수 없이 디지털 자료실에 들러 지금 오늘의 일지를 쓰고 있다. 역시 산에 오기로 작정한 것은 칭찬받을 만한 일이다. 파란 이파리를 보면서 나무 사이를 걷다 보면 이리저리 얽혀 있던 생각이 정리가 되고 어떠한 형태로든지 해결 방안이 모색된다. 특별할 것 없는 초록의 힘이 놀랍다.

유월 26일,
앞산 지도

새벽 일찍 잠이 깨었다. 간밤의 앞산 행은 꽝이었다. 명상이고 뭐고 어둠이 내려앉은 한적한 앞산 공원 유원지는 두렵기만 했다. 가로등을 환히 밝히고 있어서 야간에도 찾아오는 사람들이 많지 않을까 하는 나의 예상과는 달리 인적이 뚝 끊겨 있었다. 조심조심 오르다가 서둘러 산을 내려갈 때 앞서가던 아저씨와 멀어질세라 혼신의 힘을 다해 발걸음을 옮겼건만, 어느새 사람 그림자는 사라지고 아무 짓 하지 않는 숲이 두려워졌다. 한없이 무거워진 발걸음을 겨우 옮겨 집에 도착했을 때 쉴 만한 안식처가 내게도 있음을 감사하지 않을 수 없었다.

* * *

식전에 산에 가는 일은 어슴푸레한 어린 시절의 기억밖에 없다. 그래서 어디로 가야 할지 망설이며 노선을 정하지 못하고 있는데 평소에는 그리 기다려도 오지 않던 앞산 행 버스 두 대가, 정류장에 도착하자마자 나란히 들어섰다. 순간적으로 어찌해야 할지 몰라 머릿속만 빙글빙글 돌리다가 결국 버스를 타지 못했다. 이렇게 타이밍이 안 맞을 수가 있나, 살아가면서 타이밍이 딱딱 맞아떨어지는 짜릿한 경험 몇 번이나 해보았나 생각해 본다. 굵직한 인생사에 이르러 절묘한 타이밍을 맞출 수 있다면 시덥저리한 매일이라도 감사하며 견뎌 내어야 할 것이다.

한꺼번에 버스를 두 대나 놓치고 어쩌지를 못하고 있다가 결국 도보를 택했다. 버스로 오 분이면 되는 거리를 30여 분 걸었다. 주말 아침에 비까지 내리기 시작하고 있어 평일이면 꿈도 못 꿀 도시의 대로변 걷기를 기분 좋게 즐겼다. 산으로 다가갈수록 땅바닥을 내딛는 횟수가 많아질수록 피가 빠르게 돌며 머릿속이 맑아지기 시작한다. 역시 산행은 배신하지 않는다는 확신이 든다. 산 입구부터 확연하게 달라진 공기를 깊게 흡입하고 산속으로 발자죽을 뗀다.

빗방울이 점점 굵어지고 있지만 나뭇잎들은 숨죽인 듯 가만히 있다. 아우성이라도 치며 기쁨의 파티를 해도 좋을 듯한데 하나같이 가만히 서서 내리는 빗물을 받아들이고 있다. 바람이라는 변수가 훼방 놓지 않는다면 언제까지나 가만히 서 있을 태세다.

최근 들어 무리하게 많이 걸어서인지 조그마한 경사도 힘에 겹고 오래 걷지를 못하여 가다 앉다를 반복해야 하는데, 비에 젖은 벤치에 옷이 젖어버리는 것이 편하지 않다. 임시로 방수 자리를 깔고 벌레가 덤벼들까 봐 부채질을 해가며 잠시 앉아 쉬면서 계속 머리를 굴려본다. 비를 피할 수 있는 정자가 어디 있더라? 청년의 머리였다면 삼여 년의 산행 끝이니 단박에 생각이 났을 텐데 둔탁해진 내 머리는 알아채지를 못한다. 어디 있더라? 어디 있더라? 새김질하며 원래 예정하였던 안일사 내려다보이는 그 벤치를 별안간 포기하고 안지랑 골 경유하여 하산하겠다고 마음먹는 먹는 순간 떠오른다. 정자! 살갑게도 비를 피할 수 있는 정자!

여기에 앉아 비를 피하며 시원한 공기 마시며 우중에도 산을 찾은 이들을 바라보고 있는 것도 나쁘지 않다. 이 구석, 저 구석 고루 다녀 보았던 앞산 지도를 가만히 떠올려 본다. 앞산이 내 것인 양 뿌듯하다. 세상 돌아가는 지도도 내 머릿속에 있으면 좋겠는데 어디서부터 어떻게 시작해야 할지? 지금 시작해도 늦지 않은지?

밤낮으로 발 디딜 틈 없던 이 길(전망대로 오를 수 있는 지름길)도 비 오는 이른 아침, 다람쥐가 요리조리 눈치 보며 쪼르르 횡단하여도 무리가 없는 고즈넉한 산사의 그곳이 된다.

안녕 안녕 초록과 오래도록 눈 마주치며 산책로를 거꾸로 내려오다가 어느결에 살살 시장기가 돈다 싶은 마음에 솔솔 맛 나는 풍경이 보인다.

칠월 2일 야간산행,
사람 축제 그리고 고요함

뻐~벙 소리에 설거지하다 말고 부리나케 뛰쳐나갔다. 칠월 초 어김없이 미군 부대에서 폭죽을 쏘아 올린다. 건물 숲 중심점을 찍고 있는 우리 집에서는 소리만 요란하고 불꽃이 보이지를 않는다. 제법 오래도록 쏘아 올리던데 싫은 생각을 하면서도 하늘을 수놓는 화려한 조명이 끝날세라 가슴을 두근박질하며 자전거를 달렸다. 큰길까지 페달을 밟아 나가서야 겨우 화면이 약간 잘린 멋진 장면을 볼 수가 있었다. 신기하다. 불꽃을 요리조리 마음대로 조절하여 터트리다니 보고 또 보아도 질리지 않을 것 같은데 이내 끝이 나버렸다. 화려함 뒤의 쓸쓸한 밤하늘에 풀이 죽는다.

금요일 밤, 퇴근과 저녁 식사 후에 산책하는 사람들이 많다. 거리에는 낮에는 잘 보이지 않던 연령대의 사람들이, 개를 데리고 나온 사람들이 많이 눈에 띈다. 하루 종일 혹은 일주일 내내 집에서 시간을 보내었을 아그들을 산책시키는 개 주인의 마음은 어떤 모양일까? 어릴 적 우리 집 대문간에는 항상 개가 매어 있었지만 데리고 산책을 시켜본 기억은 없다. 개와 개 주인은 어떤 인연으로 만나는 걸까, 전생이라는 게 있는 걸까? 애써 사후 세계를 믿으려고 애를 쓰던 시절도 있었지만, 이제는 다르게 생각한다.

한낮의 뙤약볕이 무색하게 밤바람이 시원하다. 바람이 심하게 많이 불어 티끌이 눈에 들어가고 머리카락이 이리저리 날린다. 준비 없이 나오다 보니 그 흔한 머리핀 하나 준비를 안 하고, 목이 마르는데 물도 준비하지 못했다. 아직 산 초입에 들어서지도 못했는데 난감하다. 그냥 집으로 돌아갈까 싶은 마음을 누르며 오늘 산행은 어떻게 펼쳐질까 애써 기대한다.

산 입구에 들어서자마자 머리털이 솟구칠 만큼 신경이 예민해졌다. 오가는 사람이 많은 만큼 진공 먼지떨이 소리가 어찌나 요란하고 지속적인지 귀를 틀어막고 싶다. 있어도 좋지만 없어도 그만인 그 물건 제발 좀 치웠으면 좋겠다.

자판기 음료를 꺼내어 마시고 있는데 산어귀 레스토랑 야외 테이블에서 왁자지껄한 소리가 들린다. 바람이 불어서 시원하고 꽃이 만발한 야외 정원에서의 모임에 알코올까지 곁들였을 터이니 분위기가 무르익었음이 분명하다. 나도 같이 먹고 마시며 소속감 자체만으로도 즐거워했던 때가 있었지!

무리 지어 오르내리는 사람들과 심지어 뛰어서 내려오는 아이들도 있어서 축제가 한창인 야외 공연장 같다. 오르막 길에 마스크를 벗을 수도 없어 숨이 막힌다. 산 오르기를 일찌감치 포기하고 초입 벤치에 앉는다. 바람 맞으며 오르는 사람, 내려가는 사람! 사람 바라봄이 좋다.

집으로 돌아오는 길에 불 꺼진 카페 차창 밖 멋들어진 벤치에 앉아 물결치는 담쟁이덩굴의 일렁임을 본다. 고가 도로 아래쪽과 위쪽으로 쉴 새 없이 자동차가 달리고 바람이 잠시도 멈추지 않아서 세상이 그야말로 소란하다. 소란스럽다. 난 이렇게 고요히 앉아 있는데… 교향악 곡의 시끌벅적함을 즐기면서도 소음을 견뎌내지 못하는 나는 조화로움을 추구하고자 하는 열망이 가득한가 보다. 내 안이 고요할 땐 고요함으로, 시끌벅적할 때는 그와 같이 나를 달랜다.

팔월 3일,

6층 앞산이 빤히 보이는 강의실에서

그녀는 서 있다.
나는 앉아있다.

그녀는 산을 등지고 서 있다.
나는 고개를 90도로 돌려 초록빛을 확인하며 앉아있다.

그녀는
내가 내 의지대로 살았다면 살아보았음 직한 삶을 살고 있다.
거침없이 말하고 완급 조절을 잘도 하며 자로 잰 듯 정확하
게 시간을 등분하고 있다.
받아주지는 않고 쏟아내기만 한다. 일분일초가 아까운 듯이,

나도 쏟아 내고 싶다.
그래서 자꾸 산을 쳐다본다.
쑤우 욱 발을 디밀어도 예의 없다 하지 않고
내가 하는 말은 다 받아 주었었다.

가까이 다가가지 못하고 먼발치에서 쳐다보며
생각한다.

그녀는 약간 난이도 있는 객관식 시험지를 뽑아 들었나 보다.
척척 정답을 체크하며 두리번 둘러본다.
나는 흰 여백 가득한 주관식 시험지를 뽑아 들었다.
어떻게 채워 나갈지 아직도 준비 중이다.

맺 는 말

(1)

원고를 정리하고 나서 처음부터 다시 읽어보았다.

'용두사미(龍頭蛇尾)'!

머리는 있고 꼬리는 없다.

산에 오르기 전과 올라가는 묘사는 구구절절한데

어떠한 경로로 집에 돌아오는지는 명확하게 적혀있지 않다.

원래 나는 기승전결(起承轉結)을 대단히 좋아하는데 내가

쓴 글에 결론이 없다는 것이 못마땅하다.

하지만 곰곰 생각해보면 그럴 수밖에 없는 것 같다.

어떠한 계기가 있어서 산을 올라가지만 산에서 모두 쏟아내고

돌아오는 길에는 몸이 고단하여 아무런 생각을 할 수 없기

때문이다.

(2)

책을 쓰려고 작정하고 산을 오른 것이 아니라 산을 오르다
보니 쓰고 싶은 말들이 있었던 것이라서 책의 구성이 오밀
조밀하지 않다. 하지만 그때그때 느꼈던 솔직한 감정들을
실었기 때문에 아쉬움을 덜어낼 수 있을 것 같다.

이파리

발　행 | 2024년 05월 30일
저　자 | 지니달래
펴낸이 | 한건희
펴낸곳 | 주식회사 부크크
출판사등록 | 2014.07.15.(제2014-16호)
주　소 | 서울특별시 금천구 가산디지털1로 119 SK트윈타워 A동 305호
전　화 | 1670-8316
이메일 | info@bookk.co.kr

ISBN | 979-11-410-8532-2